« À mes parents,
affectueusement.»
B. P.

« Pour Irina.
Et en souvenir de M. Brossy, Mme Kraska… »
A. M.

© Père Castor Flammarion, 2010
Éditions Flammarion — 87, quai Panhard-et-Levassor, 75647 Paris Cedex 13
www.editions.flammarion.com
ISBN 978-2-0812-2352-3— N°d'édition : L.01EJDN000287. N001
Dépôt légal : mars 2010
Imprimé en France par Pollina S. A. en février 2010 - L52826
Loi n° 49-956 du 16 juillet 1949 sur les publications destinées à la jeunesse.

Belle Lurette

BERNADETTE POURQUIÉ · ANAÏS MASSINI

Père Castor · Flammarion

Lurette vit depuis longtemps.
Elle n'y voit plus très bien.
Pour lire le journal, elle chausse des lunettes
beaucoup plus grandes que ses mirettes.

Puis elle raconte des salades sur le marché du dimanche…
car elle se mélange un peu les pédales !

C'est normal à son âge
(elle a l'âge de ma grand-mère et demie !).

Mon frère dit qu'elle a vécu la guerre.
Il ne sait pas laquelle.

Dans sa cuisine, il y a un grand cadre
avec un monsieur à moustache qui a l'air déguisé.
Il est face à la fenêtre. Pour voir le jardin, dit-elle.

Dans son album photos, le monsieur est là aussi,
avec des tas de gens qui n'existent plus maintenant.
Lurette dit qu'ils sont d'un autre temps.

Depuis qu'elle m'a abritée de la pluie,
je viens parfois le mercredi.

Elle me raconte son petit monde d'avant,
en noir et blanc.

Dans son jardin, il n'y a que des fleurs
et trois fois rien.
Pas de portail, pas de clôture.
Juste quelques marrons.

À quatre heures,
je l'aide à ranger sa collection de confitures
et à finir le pain d'épices.

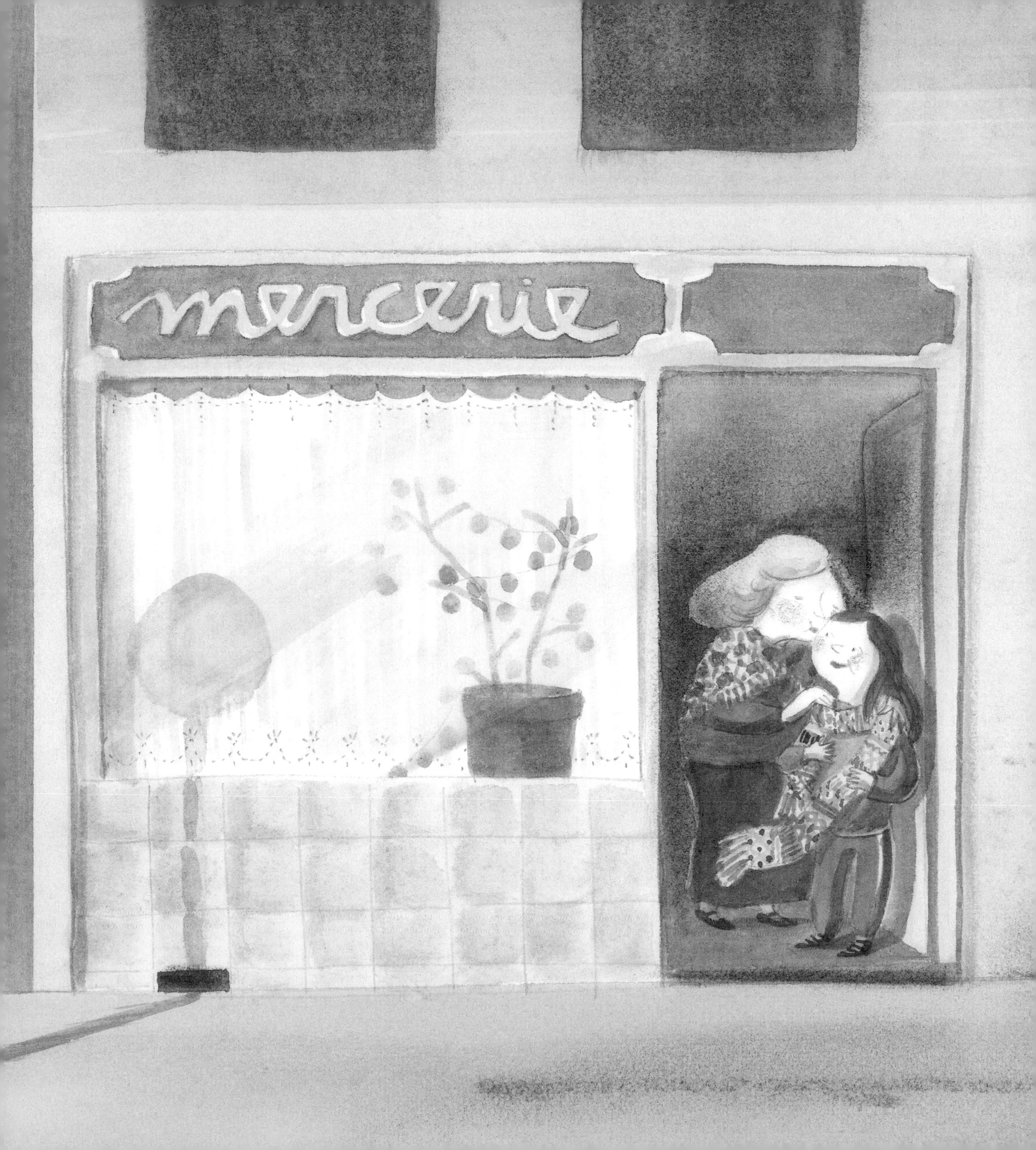
mercerie

Il porte des lunettes lui aussi.
C'est un très vieux chat
qui sait encore danser sur les toits.

Lorsqu'il fait une fugue,
Lurette hausse les sourcils
et dit qu'elle va bientôt partir elle aussi…

Alors je croise les doigts, et je ferme les yeux
pour qu'elle reste encore longtemps, longtemps,
à la fenêtre.

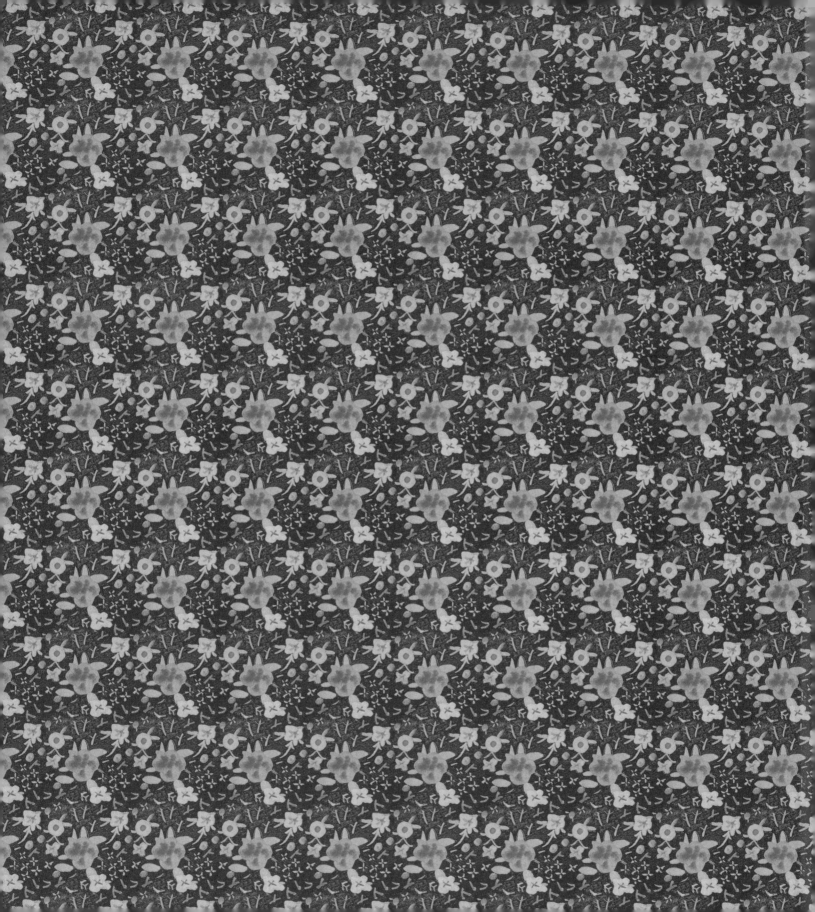